KB017988

엥케이리디온

내 맘대로 되지 않는 세상에서
살아남고 싶을 때

엥케이리디온

내 맘대로 되지 않는 세상에서 살아남고 싶을 때

발행일 | 2022년 3월 15일 1판 1쇄
2023년 9월 15일 1판 2쇄

지은이 | 에픽테토스

번역 | 신혜연
편집 | 마담쿠, 코디정
디자인 | 정우성
마케팅 | 우섬결

펴낸곳 | 이소노미아
서울시 종로구 율곡로 2길7 서머셋팰리스 303호
T | 010 2607 5523 F | 02-568-2502
Contact | h.ku@isonomiabook.com
펴낸이 | 구명진

ISBN 979-11-90844-21-5

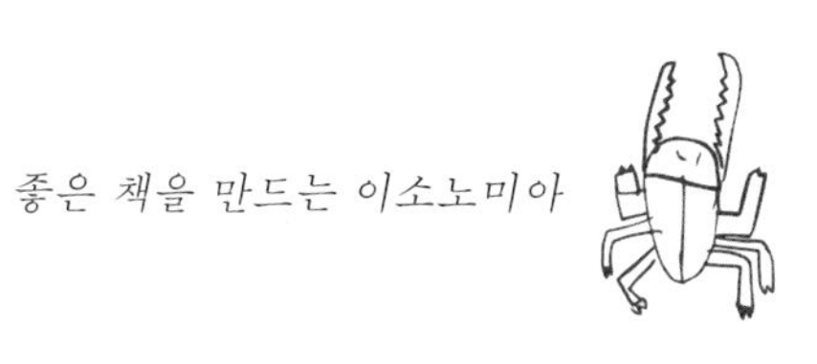
좋은 책을 만드는 이소노미아

엥케이리디온

내 맘대로 되지 않는 세상에서 살아남고 싶을 때

에픽테토스

신혜연 옮김

에픽테토스
Epictetus

50~135

로마시대를 살았던 고대 그리스의 위대한 철학자. 그는 한때 비천한 삶을 살았다. 지금의 터키 영토인 프리기아 지방에서 출생했지만 곧 네로 황제의 행정 비서관인 에파프로디투스의 노예로 보내졌다. 게다가 그는 절름발이 불구의 몸이었다. 하지만 영특했다. 주인은 어린 노예를 당대 스토아 철학자 가이우스 무소니우스 루푸스에게 보내 가르침을 받도록 했다. 에픽테토스가 어쩌다 노예가 됐으며 언제 노예 신분에서 해방되었는지는 알려지지 않았다. 주인 에파프로디투스가 후일 도미티아누스 황제에 의해 처형을 당한 후 어떻게든 자유를 얻어 로마에서 철학을 가르치기 시작했다. 89년경 황제가 모든 철학자에게 로마를 떠나라는 추방령을 내리자, 에픽테토스는 그리스의 니코폴리스로 이주하여 노년까지 철학을 가르쳤다. 평생 독신으로 무소유의 삶을 살았다. 저술을 남기지도 않았다. 그러나 그의 제자이자 역사가인 아리아노스가 스승의 말씀을 한 자 한 자 정성껏 기록했다. 그 기록의 일부가 〈담화록The Discourses〉으로 오늘날까지 전승됐다. 그리고 〈담화록〉의 요약본이 〈엥케이리디온〉이라는 명칭의 소책자로 묶였다. '핸드북'이라는 뜻의 요약본이었다.

에픽테토스 사후, 황제 아우렐리우스는 노예가 남긴 스토아 철학의 정수를 배워 로마를 통치했다.

목차

옮긴이의 말

지난여름 제법 심한 손목 골절로 수술을 받았다. 한쪽 팔에는 깁스를 하고 한쪽 팔로만 생활해야 했다. 스스로 할 수 있는 일과 할 수 없는 일이 극명했다. 스토아철학이 절실했다. 그때 공교롭게도 출판사가 이 책 〈엥케이리디온〉의 번역을 의뢰해 왔다. 노예 출신으로 평생 다리를 절었던 에픽테토스의 한마디 한마디가 마음을 두드렸다. 이 책을 만난 건 운명이라는 생각이 들었다.

솔직히 처음에는 당황스러웠다. 철학 전공자도 아니었고 고대 그리스어에도 문외한이었기 때문이다. 하지만 이 책이 옮긴이에게 온 데에는 분명 이유가 있으리라고 생각했다. 그리고 고민 끝에 조심스럽게 답을 찾았다. '철학을 처음 접하는 독자라도 어려움 없이 읽을 수 있도록 옮기라는 거구나, 그 시선으로 텍스트를 읽고 전달하라는 거구나.' 그렇게 고대 그리스의 철학을 현대의 한국어로 옮기는, 시대와 언어를 건너는 작업을 시작하게 되었다. 인문번역에 대한 이소노미아 출판사의 남다른 철학을 끊임없이 되새기면서 말이다.

〈엥케이리디온〉이 에픽테토스의 '글'이 아닌 '말'을 엮은 것임에 비추어 경어체를 택했다. 그리고 가능한 한 평범하게 살아있는 현대 한국어로 옮기고자 했다. 1750년 엘리자베스 카터가 번역한 영문본을 저본으로 삼았다. 그리고 해석의 정확도를 높이기 위해 T.W. 히긴스(1865)와 P.E. 매더슨(1916), 스티븐 월튼(1997) 등 여러 영문 번역판과 에픽테토스에 관한 연구를 참고했다. 또한 한국 학자들의 연구 성과에도 귀를 기울이며 지혜를 구했다. 특히 〈왕보다 더 자유로운 삶〉(2013, 서광사)을 저술한 김재홍 선생께 감사의 마음을 전한다. 여러 세대를 거쳐 이어진 학자들의 검증된 연구와 노력이 오늘날 한국 독자들에게 에픽테토스에 이르는 올바른 길을 안내해 주리라 믿는다.

이 책을 번역하면서, 그리고 스토아철학을 공부하면서, 에픽테토스의 말처럼 자신이 통제할 수 있는 일과 없는 일을 구분하고 그중 할 수 있는 것에 집중할 수만 있다면 아무리 험한 일이 닥쳐도 헤쳐나갈 수 있겠다는 생각이 들었다. 어떤 상황에서도 정신적 감정적 품위를 지키며 살아갈 수 있도록 해주는 지침이자 강력한 무기 역할을 해줄 수 있겠다는 생각도 들었다. 삶에 도움이 되는 철학, 마음에 위안을 주고 나아갈 길을 모색하게 해주는 철학이란 이런 것이 아닐까? 손안에 쏙 들어오는 이 작은 책이 모쪼록 많은 독자에게 닿아서 힘든 시기를 버텨내는 데 도움이 될 수 있기를 희망한다.

2022년 봄, 신혜연

엥케이리디온

내 맘대로 되지 않는 세상에서
살아남고 싶을 때

1

통제할 수 있는 일과
통제할 수 없는 일

세상에는 자신이 통제할 수 있는 일과 통제할 수 없는 일이 있습니다. 머릿속에 떠오르는 생각과 마음의 충동, 욕망, 혐오는 자신이 하기에 달려있으므로 통제할 수 있지만, 건강이나 재산, 명성, 권력은 자신에게 달린 일이 아니므로 스스로 통제할 수 없습니다.

자신이 통제할 수 있는 것은 본래 자유롭고 제한이 없으며 아무런 방해도 받지 않지만, 통제할 수 없는 것은 약하고 종속적이며 제약을 받습니다. 그러니 명심하십시오. 본래 종속적인 것을 자유로운 것으로 착각하거나 내게 속하지 않은 것을 내 것이라 착각한다면, 좌절과 후회와 불행 속에서 남을 탓하다 결국 신까지 탓하게 됩니다. 하지만 내게 속한 것만을 내 것이라 여기고 남에게 속한 것은 남의 것이라 여긴다면, 강요당하거나 속박당할 일은 물론이며, 누구를 나무라거나 탓할 일도 없고, 하고 싶지 않은 일을 억지로 할 필요도 없습니다. 따라서 해를 입을 일도, 적을 만들거나 다칠 일도 없습니다.

그러므로 이런 높은 경지에 오르고자 한다면 자신이 통제할 수 없는 것에는 조금이라도 현혹되지 않도록 주의하십시오. 어떤 것은 완전히 단념해야 하고, 어떤 것은 현재를 위해 나중으로 잠시 미뤄야 합니다. 하지만 이런 목표를 추구하면서 동시에 부와 권력도 얻고자 한다면 아무것도 얻을 수 없습니다. 자유와 행복에 이르는 유일한 길인 원래의 목표도 당연히 이루지 못합니다.

그러므로 눈에 거슬리는 것이 보이면, 〈저건 겉모습일 뿐, 보이는 게 전부가 아니다〉라고 생각하도록 노력하십시오. 그런 다음 앞에서 말한 원칙에 비추어 자신이 통제할 수 있는 일인지 아닌지를 검토하는 겁니다. 그 결과 만일 통제할 수 없는 일이라면 더는 신경 쓰지 마십시오.

2

욕망과 혐오

욕망은 원하는 바를 얻고자 하는 마음이고, 혐오는 원치 않는 바를 피하고자 하는 마음입니다. 원하는데 얻지 못하면 실망스럽고, 원치 않는데 피할 수 없으면 괴롭습니다.

자신이 통제할 수 있으면서 자연의 섭리에 맞지 않는 것을 혐오한다면 세상에 못 피할 일이 없고 괴로울 일도 없습니다. 하지만 병이나 죽음이나 가난처럼, 자신의 힘으로 통제할 수 없는 것을 혐오한다면 불행해집니다. 자신의 힘으로 어쩔 수 없는 것을 피하려고 하지 마십시오. 자신이 통제할 수 있는 것 중에서 자연의 섭리에 맞지 않는 것만을 혐오의 대상으로 삼아야 합니다. 우선은 모든 욕망을 내려놓으세요. 아직 당신은 스스로 통제할 수 있으면서 욕망의 대상으로 삼아도 좋은 게 무엇인지 잘 모르고, 자칫 자신의 힘으로 어쩔 수 없는 것을 원하게 되면 실망할 일만 남기 때문입니다. 그러므로 뭔가를 욕망하거나 혐오할 때는 신중하고 조심스럽게, 가려서 해야 합니다.

3

사물의 본성

보기 좋고 쓸모도 있어서 몹시 마음에 드는 물건이 있다면 그것의 지극히 기본적인 물성을 떠올리십시오.

예를 들어 아끼는 도자기 잔이 있다고 하면, 〈이건 그냥 도자기 잔일 뿐〉이라고 생각하는 것입니다. 그러면 혹시 그 컵이 깨지더라도 크게 속상하지 않습니다. 사랑하는 가족에게 입을 맞출 때에도 인간은 유한한 존재라는 사실을 생각하십시오. 그러면 누군가 세상을 떠나더라도 슬픔이 덜합니다.

4

행위의 본성

무엇을 행하고자 할 때는 그 행위의 성격을 떠올려 보십시오.

목욕탕에 갈 거라면 그곳에서 일반적으로 일어나는 일들을 그려 보는 것입니다. 물 튀기는 사람, 밀치는 사람, 욕지거리하는 사람, 심지어 물건 훔치는 사람도 있을 수 있겠지요. 그러므로 목욕을 제대로 마치려면 〈무슨 일이 있어도 나는 자연의 섭리에 맞게 내 행동을 통제하겠노라〉고 다짐해야 합니다. 어떤 행동을 하든 이런 마음가짐을 잊지 마세요. 혹시 목욕 중에 방해를 받아 불쾌한 기분이 들더라도 〈내가 바라는 건 목욕만이 아니라 자연의 섭리에 맞게 마음을 통제하는 것이니, 방해를 받아도 화를 내지 않겠노라〉라고 생각하는 것입니다.

5

괴로움

괴로움은 어떤 일 자체가 아니라 그 일을 대하는 우리의 생각 때문에 발생합니다.

예를 들어 죽음은 두려움의 대상이 아닙니다. 만일 그렇다면 소크라테스도 죽음을 두려워했겠지요. 두려움을 유발하는 것은 죽음 그 자체가 아니라 죽음에 대한 우리의 생각입니다. 그러므로 좌절감이나 불안이나 슬픔이 느껴질 때는 남이 아닌 자신을, 아니, 자신이 품고 있는 생각을 탓하십시오.

내 불행을 타인의 탓으로 돌리는 건 무지한 사람이 하는 행동입니다. 조금이라도 깨닫게 되면 자신을 탓하고, 완전히 깨달으면 자신도 남도 탓하지 않게 됩니다.

6

자랑

내 것이 아닌 남의 탁월한 점을 자랑하지 마십시오. 잘생긴 말이 〈나는 잘생겼다〉라며 자랑스레 말한다면 괜찮습니다. 하지만 그 주인이 〈내 말은 잘생겼다〉라고 뽐낸다면 그 사람은 자신이 아닌 말의 외모를 자랑하고 있는 것입니다. 그렇다면 자랑할 만한 탁월함이란 무엇일까요? 그것은 바로 겉으로 보이는 현상을 대하는 태도입니다. 어떤 현상을 보았을 때 자연의 섭리에 부합하는 반응을 보일 수 있다면 이는 마땅히 자랑할 만합니다. 왜냐하면 자신의 탁월함이 맞기 때문입니다.

7

선장이 부를 때

당신이 탄 배가 항해 중 정박했다고 가정해 봅시다. 당신은 물을 구하러 뭍에 갔다가 조개나 먹을 만한 식물이 보여서 그걸 주워 담느라 도중에 정신이 팔립니다. 하지만 그러는 동안에도 온 신경과 시선은 계속 배를 향해 있어야 합니다. 언제든 선장이 승선하라고 외치면 즉시 모든 걸 내던지고 배에 타야 하니까요. 그러지 않았다가는 양처럼 다리와 목이 한데 묶인 채 불쌍하게 배 안에 처박히게 될지도 모릅니다. 인생도 이와 다르지 않습니다. 조개나 먹을 만한 식물 대신 아내나 자식이라고 생각해도 마찬가지입니다. 언제든 선장이 부르면 이들을 버리고 배로 달려가야 합니다. 절대 뒤돌아봐서는 안 됩니다. 그러니 자신이 늙었다고 생각된다면 절대 배에서 멀리 가지 마십시오. 선장이 부를 때 제시간에 배에 오르지 못할 테니까요.

8

평온

세상만사 바라는 대로 되기를 바라지 말고 되어가는 대로 받아들이십시오. 그러면 삶이 평온합니다.

9

마음의 장애

병은 몸의 장애가 될 수 있어도 자신이 선택하지 않는 이상 마음의 장애는 될 수 없습니다. 절뚝거림은 다리의 장애일 뿐 사람의 의지까지 장애로 만들지는 못합니다. 만사를 이런 식으로 생각하면 어떤 어려움이 닥쳐도 마음이 약해지는 일이 없습니다.

10

스스로에게 물음

뜻밖의 상황이 닥칠 때마다 거기서 헤쳐 나가려면 어떤 능력이 필요할지 자문하십시오. 매력적인 상대를 만났다면 욕망을 자제해 줄 자제력이 필요할 테고 고통 속에 있다면 불굴의 정신이 필요할 것입니다. 기분 나쁜 말을 들었다면 인내심이 필요합니다. 이런 태도를 습관화하면 어떤 일에도 당황하지 않게 됩니다.

11

돌아가다

무엇을 잃어버렸을 때는 〈잃어버렸다〉라고 생각하지 말고 〈돌아갔다〉라고 생각하십시오. 자식이 죽었나요? 돌아간 것입니다. 아내가 죽었나요? 돌아간 것입니다. 재산을 잃었나요? 그것 역시 원래 주인에게 돌아간 것입니다. 빼앗아 간 사람이 원망스럽습니까? 원래 주인이 되찾아 오라고 해서 그런 것뿐인데 그 사람이 무슨 상관입니까? 그 재산은 당신이 잠시 맡아 돌봤을 뿐 당신의 것이 아니니 착각하면 안 됩니다. 여행자는 잠시 머무는 잠자리를 자신의 집이라 생각하지 않습니다. 여러분도 그렇게 여기십시오.

12

평정심

더 나은 삶을 살고 싶다면, 〈일을 제대로 못 하면 수입이 끊길 것〉이라거나 아랫사람을 보면서 〈잘못을 바로잡아 주지 않으면 쓸모없는 인간이 되고 말 것〉이라는 식의 걱정은 하지 마십시오. 걱정 속에서 배불리 사느니 마음 편히 굶는 편이 낫고, 불안해하며 불행하게 사느니 쓸모없는 아랫사람을 두는 편이 낫습니다.

아주 사소한 일부터 생각을 바꿔보세요. 아끼는 기름이 엎질러졌나요? 귀한 술을 도둑맞았습니까? 〈고요하고 평온한 마음을 유지하려면 이 정도 값은 치러야지, 세상에 공짜는 없는 법〉이라고 여기십시오. 아랫사람 또한 당신이 아무리 불러도 오지 않을 수 있고, 오더라도 당신의 말에 따르지 않을 수 있습니다. 그런 중요하지 않은 사람 때문에 평정심을 잃지 마십시오.

13

자연과 조화를 이루는 삶

더 지혜로운 사람이 되고 싶다면 타인이 당신을 미련하고 바보처럼 여기더라도 그걸 감수하십시오. 뭐라도 아는 사람처럼 보이려고 하지 마십시오. 혹시라도 사람들이 당신을 대단한 사람처럼 여긴다면 자신을 반성하십시오. 자연과 조화를 이루는 삶을 살면서 동시에 외적인 것까지 얻기는 어려운 일이기 때문입니다. 한쪽에 집중하면 반대쪽은 소홀해지는 게 맞습니다.

14

자기 삶의 주인

아내나 자식, 친구들이 영원히 살기를 바라는 건 어리석은 생각입니다. 자신이 통제할 수 없는 일을 통제하고자 하고, 자신에게 속하지 않은 바를 자신에게 속한 것으로 착각하는 것이기 때문입니다. 아랫사람이 잘못을 저지르지 않기를 바라는 것 또한 바보 같은 생각입니다. 결점을 그대로 받아들이지 못하고, 결점이 결점 아닌 다른 무엇이기를 바라고 있기 때문입니다.

하지만 원하는 것을 이루지 못했을 때 그것에 실망하고 안하고는 자신에게 달려있습니다. 그러므로 자신에게 달린 일을 통제하는 능력을 키우십시오. 원하는 것을 얻고, 싫은 것은 피할 수 있는 사람이 자기 삶의 주인입니다. 그러므로 자유롭기를 바란다면 타인에게 속한 것은 바라지도 말고 피하려 하지도 마십시오. 그러지 않으면 노예와 다를 바 없는 삶을 살 수밖에 없습니다.

15

기다림

인생은 연회장과 다름없다는 사실을 명심하십시오. 음식이 당신 앞에 왔습니까? 점잖게 손을 뻗어 적당한 몫을 가지세요. 음식이 그냥 지나쳐갔나요? 억지로 붙잡으려 하지 마십시오. 음식이 아직 나오지 않았습니까? 성급히 욕구를 드러내지 말고 나올 때까지 기다리십시오. 자식이나 아내, 사회적 지위, 부를 대할 때도 이처럼 하십시오. 그러면 언젠가 신들의 연회를 함께 즐기고 있을 것입니다. 심지어 바로 앞에 음식이 차려져 있어도 먹지 않고 참을 수 있다면, 당신은 신들의 연회에 한자리 차지할 수 있을 뿐 아니라 그들과 함께 인간을 지배할 수도 있습니다.

디오게네스[1] 와 헤라클레이토스[2] 같은 이들이 신적 존재이자 신으로 불렸던 이유도 여기에 있습니다.

---

[1] Diogenes 412~323 BC. 고대 그리스 철학자. 알렉산드로스 대왕이 그를 찾아와 원하는 것을 물었을 때 '아무것도 필요없으니 햇빛을 가리지 말고 비켜서달라'고 답했다는 일화가 유명하다.

[2] Heraclitus 535~475 BC. 고대 그리스 철학자. "만물은 끊임없이 변한다."

16

공감의 방법

먼 곳으로 떠나거나 죽은 자식 때문에 슬피 우는 사람이나, 혹은 일이 잘 풀리지 않아 절망에 빠진 사람을 보더라도 미혹되지 않도록 주의하십시오. 대신 〈그런 일을 당했다고 누구나 괴로워하지는 않지. 그런 일을 당해서 괴롭다기보다는 괴롭다고 생각해서 괴로운 것〉이라고 생각하십시오. 하지만 말로는 주저 말고 위로를 표하십시오. 필요하다면 함께 울어주어도 괜찮습니다. 하지만 마음까지 함께 비탄에 빠지지는 마십시오.

17

배역

우리는 작가가 자기 마음 가는 대로 쓴 극의 배우에 지나지 않는다는 사실을 기억해야 합니다.

극이 짧으면 짧은 대로 길면 긴 대로 배역을 소화할 뿐입니다. 거지든 불구자든 정치가든 또는 평범한 일반인이든 자연스럽게 해내야 합니다. 왜냐하면 우리의 몫은 맡은 배역을 잘 연기해 내는 것이기 때문입니다. 배역을 정하는 것은 우리의 몫이 아닙니다.

18

흉조

어쩌다 까마귀 한 마리가 재수 없게 운다고 지레 겁을 먹고 자리를 피하지 말고, 분별력을 발휘해 이렇게 생각하십시오.

〈이건 나하고는 상관없는 일이야. 내 보잘것없는 몸과 관계없어. 재산과도 명성과도 상관없고, 사랑하는 가족 누구와도 상관없는 일이지. 내가 생각하기에 따라 모든 징조는 행운의 징조가 될 수 있어. 무슨 일이든 내게 유리한 면이 있고 그걸 찾아내는 일은 나한테 달려있어.〉

19

진짜 좋은 것

자신의 힘으로 이길 수 없는 싸움에 덤벼들지 마십시오. 그러면 패배하지 않습니다. 명예나 권력을 가진 사람, 또는 한 분야에서 높은 평가를 받는 사람을 보더라도 위축되지 말고 그저 행복한 사람이구나 생각하십시오. 왜냐하면 진짜 좋은 것은 자신의 힘으로 통제할 수 있는 것들 안에 존재하기 때문입니다. 거기에는 시기심이나 경쟁심이 파고들 여지가 없습니다. 그러니 높은 명예나 권력, 지위를 바라지 말고 오로지 자유롭기를 바라십시오. 그 유일한 방법은 자신의 힘으로 통제할 수 없는 일은 바라지 않는 것입니다.

20

모욕

우리가 모욕을 느끼는 이유는 누군가 우리에게 욕이나 폭력을 행사해서가 아니라 우리가 그것을 모욕으로 받아들이기 때문입니다. 화가 날 때 그 화를 돋우는 것은 상대가 아니라 자기 자신의 생각입니다. 그러므로 처음부터 외적인 것만을 보고 휘둘리지 않도록 주의하십시오. 잠시 시간을 갖고 한숨을 돌리십시오. 그러다 보면 자제력을 발휘하기 훨씬 수월해집니다.

21

죽음

죽음이나 추방처럼 무섭고 두려운 일들, 그중에서도 특히 죽음을 일상적으로 생각하십시오. 그리하면 절망적인 생각이나 간절한 욕망 때문에 괴로울 일이 없습니다.

22

각오

진정 지혜롭게 살고 싶다면 처음에는 사람들로부터 비웃음과 조롱을 당할 각오가 필요합니다.

사람들이 당신을 보고 갑자기 철학자가 된 것처럼 군다며 건방지다고 비난하더라도 거만한 표정을 짓지 마십시오. 그저 신이 특별히 세상에 있게 한 것 중에 최선이라고 생각되는 것을 지켜 나가십시오. 그렇게 계속해서 나아가면 처음에 비웃었던 그들이 나중에는 당신을 찬양할 것입니다. 하지만 그들의 비웃음에 굴복한다면 더 큰 비웃음을 당합니다.

23

철학자라는 믿음

다른 사람의 마음에 들기 위해 외적인 것에 전념하면 삶의 목적을 잃게 됨을 명심하십시오. 삶의 모든 면에서 늘 철학자의 자세를 견지하십시오. 남들에게 철학자로 보이고 싶다면 먼저 스스로 철학자라는 믿음을 가지세요. 그거면 충분합니다.

24

우리가 할 일

사람들에게 인정받지 못하고 어디에서도 별 볼 일 없는 사람으로 살게 될까 봐 괴로워하지 마십시오. 이름을 떨치지 못하는 것이 불행으로 느껴진다면 이는 다른 사람 때문이 아니라 자기 자신 때문입니다. 권력을 얻거나 즐거운 자리에 초대받는 것이 당신에게 맡겨진 의무입니까? 아니지요. 그러니 권력을 얻지 못하거나 즐거운 자리에 초대받지 못한다고 해서 어찌 불명예이며 어찌 별 볼 일 없는 사람이겠습니까? 우리가 할 일은 자신이 통제할 수 있는 영역에서 훌륭히 해내는 것입니다. 그래야 자신이 원하는 결과를 얻을 수 있습니다.

— 하지만 그렇게 되면 친구들을 도울 수 없지 않나요?

도울 수 없다니, 어떤 도움을 말하는 것입니까? 그들에게 돈을 빌려주거나 정치적 호의를 베풀 수 없다는 뜻입니까? 그런 것이 남의 일이 아닌 우리가 통제할 수 있는 것이라고 누가 그러던가요? 자신에게 있지도 않은 것을 어떻게 타인에게 줄 수 있습니까?

— 그런가? 그래도 어떻게든 돈도 벌고 권력도 얻으라구. 그래야 우리도 덕 좀 보지.

만일 친구가 이렇게 말한다면 그 친구에게 답하십시오. 내 명예와 신의, 위대한 정신을 지키면서도 그런 것들을 얻을 방법을 알려달라고 하십시오. 그런 방법이 있다면 저도 해보겠습니다. 별로 가치가 없는 것을 얻기 위해 가치 있는 것을 포기하라고 한다면, 그것은 불공평하고 어리석은 요구입니다. 당신이라면 얼마간의 돈과 충실하고 명예로운 친구 중 어느 것을 택하겠습니까? 품성을 해치면서까지 가치가 없는 것을 얻으라고 요구하기보다는 충실하고 명예로운 친구가 될 수 있도록 돕는 편이 낫습니다.

— 국가가 나를 의지하고 있으니 내가 국가를 도울 방법이 있지 않을까요?

다시 말하지만, 어떤 도움을 말하는 것입니까? 설마 대형 건물이나 대중목욕탕을 짓겠다는 얘기는 아닐 테지요? 그렇다면 무엇이 중요합니까? 대장장이는 신발을 만들지 않고, 구두장이는 무기를 만들지 않습니다. 각자 자신에게 맞는 일을 온전히 해내는 것이면 충분합니다. 또 한 사람의 충실하고 명예로운 시민이 되는 것도 국가에 도움되는 일 아니냐고요? 네. 도움이 됩니다. 당신은 절대 쓸모없는 사람이 아닙니다.

— 그렇다면 내 자리는 어디입니까?

=자신의 신의와 명예를 지킬 수 있다면 어떤 자리든 괜찮습니다. 하지만 국가에 유용한 사람이 되겠다며 신의와 명예를 버리고 불성실하고 수치심을 모르는 사람이 된다면, 국가에 무슨 도움이 될 수 있겠습니까?

25

대접받음

같이 어울리는 사람 중에 더 인기를 끌거나 칭찬을 받거나 인정을 받는 사람이 있습니까? 그게 좋은 일이라면 그가 그런 대접받음을 기껍게 받아들이십시오. 하지만 좋은 일이 아니라면 자신이 그런 대접을 받지 못한다고 슬퍼하지 마십시오. 그리고 명심하십시오. 자신이 통제할 수 없는 것을 얻기 위해 남들처럼 하지 않으면서 그들과 똑같이 대접받기를 기대하면 안 됩니다. 그들처럼 높은 사람의 집에 자주 찾아가지도 않고 시중들지도 않으며 찬양하지도 않으면서 어떻게 그들과 똑같은 몫을 얻겠습니까? 필요한 값을 치르지 않고 공짜로 얻으려 한다면 그것은 부당하고 탐욕스러운 태도입니다. 시장에 상추가 있습니다. 누군가 값을 치르고 상추를 얻었습니다. 당신은 값을 치르지 않았고 따라서 상추를 얻지 못했습니다. 이 경우 그가 당신보다 이익을 봤다고 생각하지 마십시오. 그는 상추를 얻었고 당신에게는 상추 대신 돈이 남았기 때문입니다. 마찬가지로, 높은 사람이 여는 만찬에 초대받지 못했다면 그건 그 만찬의 값을 치르지 않았기 때문입니다. 그 값은 아첨일 수도 있고 시중을 드는 것일 수도 있겠지요. 그게 당신에게 이익이 된다면 값을 치르십시오. 값을 치르지 않고 얻으려 하는 건 탐욕스러운 바보나 하는 짓입니다. 만찬에 안 갔는데도 가진 것이 없다고요? 아닙니다. 당신에게는 그에게 칭찬의 말을 늘어놓지 않아도 되고 그의 집에서 그의 태도를 참아주지 않아도 되는 자유가 있습니다.

26

한결같이

자연의 의지가 드러나는 상황은 다 비슷비슷합니다. 예를 들어 이웃에 사는 소년이 컵을 깼습니다. 우리는 곧바로 〈그럴 수 있지〉라고 말할 것입니다. 자신의 컵이 깨졌을 때도 똑같이 말할 수 있어야 합니다. 설사 컵을 깨는 것보다 더 큰일이 벌어졌을 때도 이 같은 태도를 견지하십시오. 사람들은 남의 자식이나 아내가 세상을 떠나면 〈인간사가 다 그렇지〉라고 말하지만, 자신의 자식이나 아내가 같은 일을 당한다면 〈이럴 수가! 어떻게 나한테 이런 일이!〉라며 슬퍼합니다. 같은 일을 다른 사람이 겪었을 때 자신이 어떻게 반응했는지를 기억하십시오.

27

선과 악

이르지 못하게 하려고 목표가 있는 게 아닌 것처럼, 이 세상에 본성적으로 악한 것은 없습니다.[3]

[3] 도덕철학은 올바름에 관한 것이고, 이것은 사람으로 하여금 선함(good)에 이르도록 목표를 세워 행동함을 뜻한다. 그런데 이 목표는 자주 실패하고 사람들은 이런 실패의 결과를 일컬어 악(evil)이라고 표현한다. 27장은 그런 실패가 있다고 해서 선함이라는 목표가 잘못된 것이 아니며, 실패가 악의 존재를 증명하는 것도 아니라는 의미.

28

어쩌다 만난 사람에게

어떤 이가 당신의 몸을 지나가는 사람한테 함부로 줘버린다면 당신은 분명 화가 날 것입니다. 그런데 왜 어쩌다 만난 사람에게 나쁜 소리 좀 들었다고 그에게 정신을 내주고는 당황하고 혼란스러워하면서도 수치스러운 줄을 모릅니까?

29

철학자의 삶

어떤 일을 할 때는 일의 선후를 따져본 후 착수하도록 하십시오. 그냥 시작하면 처음에는 의욕이 넘치겠지만 도중에 부끄럽게 그만두는 일이 생길 수 있습니다. 올림픽에 출전해 메달을 따고 싶습니까? 먼저 일의 선후를 생각하십시오. 그러고도 자신에게 이익이 된다면 그때 뛰어드십시오. 선수가 되려면 규칙을 지키고, 식이요법을 따르며, 산해진미는 포기해야 합니다. 원하든 원치 않든 덥든 춥든 정해진 시간에 신체를 단련해야 하고, 차가운 물은 물론이요 때로는 술도 마실 수 없습니다. 다시 말해서 병원에서 의사에게 몸을 맡기듯 지도자에게 자신을 완전히 맡겨야 합니다. 그러다 경기에 나서면 도랑에 처박힐 수도 있고, 팔이 빠지거나 발목이 삘 수도 있으며, 흙먼지를 삼키거나 죽도록 얻어맞을 수도 있고, 무엇보다 패배할 수도 있습니다. 이 모든 점을 알고 나서도 여전히 하고 싶다면 그때 도전하십시오.

그러지 않으면 철부지 어린아이처럼 레슬링 선수 흉내를 내다가 검투사 흉내를 내고, 트럼펫을 불다가도 비극배우가 되겠다며 연기를 합니다. 한때는 레슬링 선수였다가 다음에는 검투사가 되고, 철학자가 되었다가 웅변가가 될 수도 있을 겁니다. 심혈을 기울인 것은 하나도 없으니 그저 원숭이처럼 눈에 보이는 대로 다 따라 할 뿐입니다. 차례차례 새로운 일에 도전하는 건 분명 즐거운 일입니다. 하지만 익숙해지면 곧바로 관심 밖의 일이 돼버립니다. 신중하게 전체를 살펴보지 않고 철저한 검토나 열의 없이 성급하게 뛰어들었기 때문입니다. 어떤 이들은 철학자를 만나 그가 에우프라테스[4]처럼 말하는 소리를 들으면 (아무나 그처럼 말할 수 있는 게 아님에도) 철학자가 되고 싶어 합니다. 하지만 친구여, 무엇보다 중요한 것은 자신의 본성이 과연 그것을 해낼 수 있는가입니다. 레슬링 선수가 되고 싶다면 자신의 어깨와 등과 다리가 그 운동을 하기에 적합한지 고려해야 합니다. 사람마다 자신에게 맞는 일이 따로 있습니다. 지금처럼 행동하면서도 철학자가 될 수 있다고 생각합니까? 지금처럼 먹고 마시고 화내고 불평하면서도 철학자가 될 수 있을까요? 아닙니다. 안락함을 포기해야 하고, 더 열심

[4] Euphrates the Stoic 35~118. 스토아학파 철학자. 에픽테토스보다 약 15년 먼저 태어난 동시대 철학자이다. 판본에 따라 소크라테스로 표기되기도 한다.

히 일해야 하며, 욕망을 이겨내야 합니다. 사람들과의 친분을 끊어야 하고, 하찮은 사람에게 멸시를 당해도 참아야 하며, 조롱도 감수해야 합니다. 높은 지위나 명예를 얻지 못하고 법정에서 불이익을 당해도 견뎌야 합니다. 모든 면에서 남들보다 나쁘더라도 참아내야 합니다. 이 모든 것을 고려하고도 기꺼이 침착함과 자유로움, 평온함을 추구하고 싶다면 도전하십시오. 하지만 그렇지 않다면 철학은 당신의 길이 아닙니다.

어린아이처럼 일관성 없이 철학자가 되고 싶다고 했다가 금방 정치가가 되고 싶다고 하고, 또 웅변가가 꿈이라고 했다가 금방 행정관이 되고 싶다고 하지 마십시오. 일관성이 없습니다. 우리는 좋은 사람이거나 아니면 나쁜 사람이거나 둘 중 하나입니다. 본인만의 능력을 기를지, 외적인 것을 추구할지 선택하십시오. 내적인 것에 전념할지, 아니면 외적인 것에 전념할지 선택하십시오. 이쪽이 철학자의 삶이라면 저쪽은 세속적인 일반인의 삶입니다.

30

의무

보편적으로 의무는 관계에 의해 정해집니다. 자식이라면 마땅히 제 아버지를 보살피고 복종하며 경청해야 합니다. 나쁜 아버지라고요? 좋은 아버지에게서 태어날 권리는 누구도 갖고 있지 않습니다. 좋건 나쁘건 아버지는 아버지입니다. 형이나 동생이 부당하게 구나요? 있는 그대로 관계를 받아들이십시오. 그의 행동을 생각하지 말고, 자신의 본성을 거스르지 않으면서 어떻게 그를 대할지 생각하는 것입니다. 당신이 허락하지 않는 이상 타인은 당신을 아프게 하지 못합니다. 타인이 당신을 아프게 할 수 있는 경우는 당신이 그 사람으로 인해 아프다고 생각할 때뿐입니다. 이웃이나 사회공동체, 회사의 상관 등 누구를 대하든 그와 나와의 관계를 떠올리십시오. 그러면 자신이 해야 할 의무가 무엇인지 알 수 있습니다.

31

신앙심

신앙심의 본질은 신에 대한 견해를 올바로 세우는 일임을 명심하십시오. 그것은 바로 신이 실재하며, 선하고 공정하게 우주를 지배한다는 믿음입니다. 그리고 무슨 일이든 신의 완벽한 계획에 따라 준비된 것이라 믿으며 신에게 복종하고 신의 뜻을 따르는 것입니다. 그리하면 어떤 경우에도 신을 탓하거나 자신을 버렸다고 비난할 일이 없습니다. 이를 위해서는 자신이 통제할 수 없는 일은 제외하고 자신이 통제할 수 있는 일에서만 좋고 나쁨을 따져야 합니다. 왜냐하면, 통제할 수 없는 일에서 좋고 나쁨을 따지면 바라던 일이 이루어지지 않거나 피하고 싶은 일을 만났을 때 신을 탓하거나 비난하게 되기 때문입니다.

무릇 동물이란 자신에게 해로워 보이거나 해를 유발할 듯한 것은 피하거나 혐오하고, 이로워 보이거나 이익을 가져올 듯한 것은 추구하고 찬양하기 마련입니다. 해를 입는다는 생각이 들 때 해 그 자체를 좋아하는 일이 불가능한 것처럼, 자신에게 해를 입힐 것 같은 사람을 좋아할 수는 없습니다. 좋은 것을 자식에게 나눠주지 않는 부모는 자식에게 비난을 받습니다. 오이디푸스의 쌍둥이 아들 에테오클레스와 폴리네이케스가 제국을 서로 다스리겠다고 싸우다 서로 적이 된 것도 이와 같은 이유에서입니다. 농부와 어부, 상인 할 것 없이 다들 이런 이유로 신을 비난하고, 배우자나 자식을 잃은 이들도 같은 이유로 신을 원망합니다. 그런 사람들에게는 이익이 있어야 신앙심도 생깁니다. 하지만 자신의 욕망과 혐오감을 절제할 줄 아는 사람은 신앙심에서도 마찬가지입니다.

또한 어설프거나 부주의하지 않고 분수에 맞게, 순수한 마음으로 아낌없이 나라의 관습에 따라 술과 제물과 첫 수확물을 바치는 것은 모두에게 적절한 일입니다.

32

신탁

신탁을 받고자 할 때 우리는 어떤 점괘가 나올지 모르는 상태에서 신관을 찾아갑니다. 하지만 적어도 철학자들은 앞으로 일어날 일의 본질을 압니다. 미래는 자신이 통제할 수 없는 일에 속하므로 절대 좋거나 나쁘다고 할 수 없다는 것입니다. 그러므로 신관을 찾아갈 때는 욕망도 혐오도 품지 마십시오(그러지 않으면 불안에 떨면서 점쟁이의 말을 기다리게 될 테니까요). 다만 어떤 점괘든 특별히 당신에게 맞춰서 나오는 것은 아니며 당신과 아무 관계도 없다는 사실을 먼저 깨달아야 합니다. 그 일을 어떻게 받아들이고 이용할지는 자신에게 달려있고 이는 누구도 방해할 수 없습니다. 여기까지 되었다면 이제 신에 대한 확신을 품고 신의 대리인인 신관을 찾아가십시오. 그리고 점괘를 받으면 누가 그 점괘를 준 것인지, 점괘를 따르지 않을 때는 자신이 누구의 조언을 무시하는 것인지 생각하십시오. 소크라테스가 그랬듯이 무슨 일이 벌어질지 알고 싶을 때, 그리고 어떤 이성적 판단이나 기술로도 답을 알 수 없을 때 신탁을 받으러 가십시오. 하지만 위기에 처한 친구나 조국을 위해 위험을 무릅쓸지 말지를 묻지는 마십시오. 불운한 점괘는 결국 죽음이나 부상, 유배를 경고할 뿐입니다. 또한, 우리에게는 이성이 있으며, 그 이성은 이런 위험이 있더라도 조국과 친구를 위해 의무를 다하라고 말하기 때문입니다. 고대에 신탁을 내려주었던 위대한 아폴로 신도 친구가 거리에서 살해당하고 있을 때 아무 도움도 주지 않고 도망친 이를 사원 밖으로 내쫓았음을 기억하십시오.

33

권면하는 행동

자신에게 도움이 될 성격과 습관을 당장 정하십시오. 그리고 혼자 있을 때도 사람들과 있을 때도 고수하도록 하십시오.

대체로 침묵을 지키십시오. 아니면 아주 필요한 최소한의 말만 하십시오. 드물지만 때로 어쩔 수 없이 대화에 참여할 때는 검투사나 경마, 운동 경기나 축제 등 평범한 대화에는 끼어들지 마십시오. 특히 다른 사람을 비난하거나 찬양하거나 비교하는 말은 하면 안 됩니다. 할 수만 있다면 대화의 주제를 적절한 방향으로 이끄십시오. 하지만 공교롭게도 낯선 이들과 동석하게 되었다면 침묵을 지키십시오.

너무 큰 소리로 웃지 마십시오. 너무 자주 웃지도, 너무 많이 웃지도 마십시오.

가능하다면 맹세를 해서는 안 됩니다. 어쩔 수 없는

상황이라면 최대한 미루십시오.

대중이 모이는 통속적인 자리는 피하십시오. 어쩔 수 없이 참석하게 되더라도 자신도 모르게 저속한 행동에 물들지 않도록 긴장을 늦추지 마십시오. 아무리 사리 분별 있는 사람이라도 저속한 사람과 어울리다 보면 똑같이 물들기 마련입니다.

고기나 음료, 옷, 집, 가족 등 몸에 관련한 것들은 쓸 만큼만 소유하고, 과시나 사치와 관련된 것은 모두 버리십시오.

결혼 전에는 가능한 한 이성과의 육체관계를 멀리하고 순결을 지키십시오. 혹시 관계를 갖게 되더라도 법이 허용하는 범위에서 벗어나지 않도록 하십시오. 하지만 이런 자유를 누리는 사람을 불쾌하게 여기거나 비난해서는 안 됩니다. 자신의 순결을 자주 뽐내지도 마십시오.

만일 누가 당신을 나쁘게 말한다는 얘기를 전해 들었다면 해명하지 말고 이렇게 대답하십시오. 〈그것만 흉본 걸 보니 다른 단점은 모르나 보군.〉

사람들이 열광하는 구경거리를 자주 보러 가지 마십시오. 혹시 좋은 기회가 있어 가게 되더라도 누구에게 특별한 관심을 드러내 보이지는 마십시오. 연극이라면 그냥 진행되는 대로 즐기고, 운동 경기라면 그냥 이길 만한 사람이 이긴다고 생각하면 문제 될 게 없습니다. 열변을 토한다거나 조롱의 말을 던진다거나 격하게 감정을 표출하는 일은 전적으로 삼가십시오. 그리고 자리를 떠날 때는 자신에게 특별히 영향을 미친 것 외에 그냥 그곳에서 벌어진 일에 대해서 장황하게 떠들지 마십시오. 지나치게 감상적인 사람처럼 보일 수 있습니다.

분별없이 아무 낭독회나 강연회에 가지 마십시오. 혹시 가게 된다면 차분하고 품위 있는 태도를 유지하고, 불편하더라도 내색하지 마십시오.

누군가와 의논을 해야 할 때, 특히 그 상대가 당신보다 우월한 지위에 있는 사람일 경우 소크라테스나 제논[5]이라면 어떻게 행동했을지 떠올려 보십시

[5] 키티온의 제논(Zeno 335~263 BC.) 지금의 키프로스 지역 출신의 그리스 고대 철학자. 스토아학파의 창시자로 알려졌다. 그는 아테네 공회당에서 제자들에게 철학을 가르쳤다. 그가 강의하던 공회당을 일컬어 '스토아'라 칭했으므로 이후 그의 가르침을 계승한 철학을 일컬어 스토아학파로 불렀다. '제논의 역설'로 유명한 엘레아의 제논(Zeno of Elea 495~430 BC)과는 다른 인물.

오. 그리하면 어떤 상황에서도 당황하지 않고 적절히 대처할 수 있습니다.

권력가를 만나러 갈 때는 불편한 상황이 벌어질 수 있음을 각오하십시오. 아예 만나지 못할 수도 있고, 대문을 열어주지 않을 수도 있으며, 철저히 무시당할 수도 있습니다. 그래도 꼭 만나야겠다면 무슨 일이든 감수하십시오. 그리고 〈그렇게까지 해서 만날 사람은 아니었다〉라고 생각하지는 마십시오. 그런 생각은 하찮은 일에 상처받는 어리석은 사람이나 하는 것입니다.

여럿이 모여 대화를 나눌 때는 자신이 무엇을 했고 어떤 위험을 겪었는지 과하게 언급하지 않도록 조심하십시오. 위험을 무릅쓴 경험은 자신에게는 대단한 일일지 몰라도 남들에게는 그다지 듣고 싶지 않은 모험담일 뿐입니다. 또한 남들을 웃기려고 애

쓰지 마십시오. 놓치기 쉬운 사실인데, 그런 행동은 당신을 상스럽게 만들 뿐만 아니라 당신에 대한 지인들의 존경을 잃게 만듭니다. 또한 외설적인 대화에 끼어드는 것은 곤란합니다. 혹시라도 누가 외설적인 얘기를 꺼내면 적당한 기회를 봐서 꾸짖으십시오. 그게 힘들다면 말없이 얼굴을 붉히거나 기분 나쁜 표정을 지음으로써 불쾌함을 드러내십시오.

34

쾌락

쾌락을 즐기고 싶은 마음이 들더라도 휩쓸리지 않도록 주의하십시오. 여유를 갖고 잠시 미뤄 둡니다. 그리고 쾌락을 즐길 때의 기분과 쾌락이 끝난 후 후회하고 자책할 때의 기분을 떠올려 보십시오. 또, 쾌락을 외면한다면 스스로 얼마나 기쁘고 뿌듯할지 상상해 보십시오. 지금 당장 쾌락을 맛보고 싶더라도, 그 유혹적이고 유쾌하고 매력적인 힘에 굴복당하지 않도록 주의하십시오. 위대한 승리 끝에 찾아올 더 큰 기쁨을 떠올리는 것입니다.

35

올바른 일

반드시 해야겠다는 판단이 섰다면 세상이 뭐라든 당당히 하십시오. 올바른 일이 아니라면 시도 자체를 하지 말아야겠지만, 올바른 일이라면 누가 잘못 알고 비난한들 두려울 이유가 없습니다.

36

만찬 자리

〈지금은 낮이거나 밤이다〉라는 명제는 둘로 분리해서 보면 지극히 맞는 말이지만 같이 붙여놓고 보면 맞지 않습니다. 마찬가지로 만찬 자리에서 음식이 가장 많이 담긴 접시를 고르는 것은 몸의 식욕을 달래기에는 적절한 행동이지만, 사교적 목적에는 맞지 않습니다. 그러므로 여럿이 식사를 할 때는 앞에 차려진 음식을 먹는 일도 중요하지만 다른 사람들 앞에서 하지 말아야 할 행동도 있음을 명심하십시오.

37

능력을 뛰어넘는 역할

자신의 힘으로 감당할 수 없는 역할은 맡지 않는 게 좋습니다. 그 역할을 제대로 해낼 수 없을 뿐만 아니라 잘 해낼 수 있는 역할도 못 맡게 되기 때문입니다.

38

조심조심

길을 걸을 때 못을 밟거나 발이 꺾이지 않도록 조심하듯이 정신의 주된 능력을 잃지 않도록 유의하십시오. 그리하면 어떤 행동을 하더라도 안전합니다.

39

적당한 수준

신발을 고르는 기준이 발인 것처럼, 사람에게 적당한 재산의 양을 가늠하는 기준은 몸입니다. 그 기준을 지키려면 적당한 수준에서 멈추십시오. 그러지 않으면 결국 낭떠러지에서 굴러떨어지듯 멈출 수 없게 됩니다. 신발의 경우 발에 잘 맞기만 하면 되는데도 사람들은 일단 금박 입힌 것을 신으면 다음에는 더 화려한 것을 찾고, 결국에는 보석으로 장식하고 싶어 합니다. 한 번 적당한 기준을 넘어서면 끝이 없게 되는 것입니다.

40

존중받는 여성

여자가 열네 살이 되면 남자들은 〈아가씨〉라고 부르며 간이라도 빼줄 것처럼 굽니다. 그러다 보니 여자들은 남자에게 예쁘게 보여야 존중받는다는 착각에 빠져 오로지 외모에 모든 희망을 걸고 몸을 치장하기 시작합니다. 품위 있고 사려 깊은 태도를 보일 때 더 존중받는다는 사실을 여성들은 깨달아야 합니다.

41

몸이냐 정신이냐

운동과 식사, 배설과 성교 등 몸과 관련된 일에 많은 시간을 할애하는 것은 어리석음을 나타내는 징표입니다. 이런 것들은 가볍게 부수적으로 할 일입니다. 우리의 온 관심은 지식을 살피는 데에 집중되어야 합니다.

42

그냥 그 사람의 생각

누가 당신을 해하거나 욕할 때는 마땅히 자신이 할 일이라고 생각해서 그런다는 것을 기억하십시오. 그가 자신이 옳다고 생각하는 일이 아니라 당신이 옳다고 생각하는 일을 따르는 건 불가능합니다. 하지만 겉모습만 보고 잘못 판단함으로써 해를 입는 사람은 바로 그 자신입니다. 겉모습에 속은 셈이니까요. 따라서 누군가 참된 명제를 틀렸다고 한다면 해를 입은 것은 명제 그 자체가 아니라 잘못 생각한 그 사람입니다. 이 원리를 알면 누가 악담을 퍼붓더라도 참아낼 수 있습니다. 그건 그냥 그 사람의 생각일 뿐이니까요.

43

부당하게 구는 형제

모든 일에는 두 가지 측면이 있습니다. 상황을 견딜 수 있게 해주는 측면과 견딜 수 없게 만드는 측면입니다. 예를 들어 부당하게 구는 형제가 있을 때 부당함의 측면에서 그 행동을 바라보면 견디기 힘듭니다. 하지만 그가 당신의 형제이고 함께 컸다는 점을 상기하면 참을 수 있습니다.

44

올바른 추론

다음의 추론은 맞지 않습니다.

〈나는 너보다 부유하다. 그러므로 나는 너보다 낫다.〉, 〈나는 너보다 말을 잘한다. 그러므로 나는 너보다 낫다.〉

이 추론이 맞으려면 다음과 같아야 합니다.

〈나는 너보다 부유하다. 그러므로 나는 너보다 재산이 많다.〉, 〈나는 너보다 말을 잘한다. 그러므로 내 표현력이 네 말보다 좋다.〉

하지만 당신은 재산도 아니며 표현력도 아닙니다.

45

말하는 방법

아주 짧은 시간에 목욕을 끝내는 사람이 있습니까? 목욕하는 방법이 틀렸다고 말하지 말고 그냥 목욕을 빨리한다고 하십시오. 술을 엄청 많이 마시는 사람이 있습니까? 안 좋은 습관이라고 말하지 말고 그냥 술을 많이 마신다고 하십시오. 그들이 무엇 때문에 그렇게 행동하는지 모르는데 그들의 행동이 잘못되었는지 어떻게 알 수 있겠습니까?

겉만 보고 다 아는 것처럼 판단하는 실수를 저지르지 마십시오.

46

말보다 행동

평범한 사람들과 있을 때는 자신을 철학자라고 하지도 말고, 철학적 명제에 대해서도 말을 아끼십시오. 그저 자신이 알고 있는 명제에 맞게 행동하세요. 예를 들어 만찬을 즐기는 자리에서는 사람들에게 어떻게 먹으라고 설명하지 말고 자신이 아는 방법대로 그냥 먹으십시오. 소크라테스 역시 자신을 과시하지 않고 어디에서나 이런 식으로 행동했습니다. 그는 사람들이 자신에게 와서 다른 철학자를 소개해 달라고 했을 때 무시당했다고 화내지 않고 그들의 부탁을 들어주었습니다. 철학적 명제를 모르는 사람들과 어쩌다 대화할 때에는 최대한 침묵을 지키십시오. 자신이 미처 소화하지 못한 내용을 발설할 위험이 따르기 때문입니다. 사람들이 당신의 침묵을 무지의 소산이라고 오해해도 화가 나지 않는다면 철학자의 길에 들어섰음을 확신해도 좋습니다. 양은 양치기에게 자기가 얼마나 많이 먹었는지 보여주기 위해 먹은 풀을 토하지 않습니다. 다만 자신이 먹은 것을 조용히 소화해 양모와 양젖이 라는 외적 산물을 만들어 낼 뿐입니다. 이와 마찬가지로 배우지 못한 이들에게 굳이 철학적 명제를 드러내 보이려 하지 마십시오. 그것을 다 소화한 후 비로소 나오는 행동으로 보여 주십시오.

47

단련하는 사람

검소하게 산다고 뽐내지 마십시오. 물만 먹고 산다고 매번 그 사실을 떠벌릴 필요도 없습니다. 더 가난한 이들이 얼마나 절약하며 고생을 참아내고 있을지를 먼저 떠올리십시오. 고된 노동과 힘든 시련을 통해 자신을 단련시키고 싶으면 세상에 보여주기 위해서가 아닌 자신을 위해 하십시오. 자신을 단련한다며 추운 날 사람들 앞에서 맨몸으로 조각상을 끌어안지 말고, 타는 듯 목이 마를 때는 약간의 차가운 물을 입에 머금고 있다가 뱉어 내되 아무에게도 떠벌리지 마십시오.

48

지혜로운 사람

어리석은 사람은 이익이나 손해가 자신이 아닌 외부에서 온다고 생각합니다. 하지만 철학자는 모든 이익과 손해가 자신에게서 비롯된다고 생각합니다. 지혜로운 사람은 남을 비난하거나 찬양하거나 탓하거나 책망하지 않습니다. 스스로 대단한 사람이라고 추켜세우거나 아는 게 많다고 자랑하지도 않습니다. 방해를 받거나 속박을 당해도 언제나 자신의 탓이라 여기고, 누군가 아첨하면 속으로 그를 비웃을 뿐 우쭐대지 않으며, 비난을 받아도 굳이 자신을 변호하지 않습니다. 모든 행동이 다친 몸이 완전히 다 낫지 않아 움직이기 두려워하는 사람처럼 조심스럽습니다. 내면의 욕구를 억제하고, 자신의 선택권을 가로막는 것만을 혐오합니다. 무엇에든 힘을 적절히 사용하며, 남들이 멍청하거나 무식하다고 여겨도 신경 쓰지 않습니다. 한마디로, 매복해 있는 적을 대하듯 자신을 경계합니다.

49

삶에 적용하는 철학

크리시포스[6]의 글을 이해하고 해석할 수 있다며 과시하는 사람을 만나면 이렇게 생각하십시오. 〈크리시포스가 글을 모호하게 쓰지 않았더라면 이 사람은 자랑거리가 없었겠구나. 나는 자연을 이해하고 따르기를 갈망하여 자연을 해석할 수 있는 사람을 찾다가 크리시포스를 알게 되었다. 하지만 그에게 의지하고 싶어도 그의 글을 이해할 수 없어서 그것을 해석해 줄 사람을 찾아왔다.〉 여기까지는 당신이 뽐낼 만한 것이 없습니다. 해석해 줄 사람을 찾아 내용을 알았다면 이제 배운 것을 삶에 적용해야지요. 그리고 이것만이 진정으로 가치 있는 자랑거리가 될 수 있습니다. 삶에 적용하지 않고 그 해석된 내용만을 찬양한다면, 호메로스 대신 크리시포스를 해석한다는 점만 다를 뿐 철학자 아닌 문법학

[6] Chrysippus 279~206 BC. 고대 그리스 스토아학파 철학자.

자밖에 더 되겠습니까? 그러면 누군가가 크리시포스를 읽어달라고 해도 얼굴만 붉어질 것입니다. 자신의 행동은 그 내용과 어울리지도, 일치하지도 않으니까요.

50

내가 선택한 도덕법

어떤 도덕률을 선택했든 법처럼 지키고, 어기면 불경죄를 저지른 것으로 생각하십시오. 남들이 뭐라든 신경 쓰지 마세요. 그들의 생각은 당신이 어쩔 수 있는 게 아닙니다.[7]

[7] 어떤 판본에서는 50번과 51번이 합쳐져 있다.

51

노력하는 삶

높은 성취와 이성의 탁월함을 추구하는 일을 언제까지 미뤄둘 생각입니까? 숙지해야 할 철학적 명제를 받았고 이미 숙지하였거늘, 또 누가 나타나 가르쳐 주길 기다립니까? 지체하지 말고 자신을 개선하세요. 당신은 이제 어린아이가 아닌 성인입니다. 느긋하고 나태한 자세로 늘 미루고 핑계만 대면서 자신을 돌보지 않으면, 뭐 하나 제대로 하는 것 없이 어리석은 사람으로 살다 죽을 뿐입니다.

그러므로 지금 당장 유능한, 어른의 삶을 살겠다고 결심하십시오. 그리고 무엇이든 최선이라 여겨지는 것을 철칙으로 삼으세요. 그 어떤 고통이나 기쁨, 영광이나 불명예가 닥치더라도 삶은 지금 전투 중이며 이미 시작되어 미룰 수 없는 올림픽 경기임을 명심하십시오. 단 한 번의 패배, 단 한 번의 좌절만으로도 향상의 기회를 잃을 수 있고, 반대로 포기하지 않고 정진하면 높은 성취를 이룰 수 있습니다.

소크라테스도 오로지 이성에만 힘쓰며 모든 면에서 더 나은 자신이 되기 위해 노력했기 때문에 완벽해질 수 있었습니다. 소크라테스가 되지는 못해도 소크라테스처럼 되고자 노력하는 삶을 사십시오.

52

거짓말

철학에서 가장 우선적이고 중요한 문제는 〈거짓말 하면 안 된다〉와 같은 도덕 명제를 현실적으로 적용하는 것입니다. 두 번째로 중요한 문제는 〈거짓말을 하면 안 되는 이유는 무엇인가?〉와 같은 질문을 논증하는 것입니다. 세 번째는 〈그 논증은 입증되었다〉로서 앞의 두 문제를 더 강력하고 분명하게 드러내는 것입니다.

그렇다면 논증이란 무엇일까요? 무엇이 결론이고, 무엇이 모순일까요? 무엇이 참이며, 무엇이 거짓일까요? 이처럼 세 번째 문제는 두 번째 문제를 위해 필요하고, 두 번째 문제는 첫 번째 문제를 위해 필요합니다. 그리고 그중에서 가장 중요하고 우리가 의지해야 하는 것은 첫 번째 문제입니다. 하지만 우리는 완전히 그 반대로 합니다. 세 번째 문제에 시간과 노력을 다 쏟아붓고 첫 번째 문제는 전혀 신경 쓰지 않는 것입니다.

그래서 거짓말이 왜 옳지 않은지를 논증하면서 동시에 거짓말을 늘어놓습니다.

53

격언

어떤 상황에 놓이더라도 다음의 격언을 떠올리십시오.

신이여, 운명이여, 나를 이끄소서.
그대가 나를 위해 정한 곳이 어디든
그곳으로 나를 인도하소서.
— 클레안테스

기꺼이 따르겠나이다, 원치 않더라도.
아무리 사악하고 끔찍한 곳이라도 끝까지 따르겠나이다.
운명에 완전히 굴복하는 자는
지혜로우며 천국의 법을 아는 자이니.
— 에우리피데스, 〈단편〉 965.

오, 크리톤, 이것이 신의 뜻이라면 그냥 받아들입시다. 아뉘토스와 멜레토스는 나를 죽일 수는 있어도 고통을 주지는 못할 것이니.

— 플라톤의 〈소크라테스의 변론〉, 〈크리톤〉

편집후기

편집자들은 어떤 의도로

이 책을 기획하고 편집했던 것일까?

마담쿠: 에픽테토스… 낯선 저자의 책이에요. 〈엥케이리디온〉이라는 제목도 생경해요. 인문학에 해박한 지식을 지닌 독자가 아니라면 이분을 잘 모르실 것 같고, 책 이름은 더더욱 모를 것 같아요. 솔직히 이 책을 기획하기 전까지 저도 몰랐습니다. 조사해 보니 굉장히 특이하신 분이었어요. 서기 1세기와 2세기를 살았던 고대 그리스 철학자이지만, 또 로마 귀족의 노예였어요. 로마에서 철학을 배우고 가르쳤으니 로마 시대 철학자라고 평할 수도 있을 것 같습니다. 게다가 목발을 짚고 생활한 절름발이 철학자로 알려졌더군요. 인터넷에서는 이런 이미지였어요.

우리가 어째서 고대 철학자 에픽테토스의 책을 기획했는지 독자들이 궁금해하시겠지요?

코디정: 네. 우리는 고대 헬레니즘 시대부터 로마 시대까지 여러 세대에 걸쳐 시대를 풍미했던 스토아 철학을 독자들에게 소개하고 싶었습니다. 이 기획의 첫 번째가 바로 스토아 학파의 대가인 에픽테토스입니다. 그리고 세네카와 아우렐리우스 황제의 저서가 이어질 것이고요. 그러면 어째서 지금 이 시대에 스토아 철학자들이냐, 하는 질문이 나오겠지요. 그다음 질문이 어째서 에픽테토스냐가 될 거고요. 우리가 익히 아는 서양철학의 고전은 플라톤과 아리스토텔레스 저술입니다. 플라톤 이전 그리스 철학자들의 단편들이 좀 있고요. 저는 '시대'를 주목해 보고 싶었어요. 확실히 고대 그리스에서는 우리 인류의 지적인 흥분이 샘솟았습니다. 하지만 정치적으로는 패자가 등장하지 않는 불안

정한 상황이었어요. 이 시절 인류의 스승들은 한편으로는 이상적인 국가에 관한 논쟁을 하고 다른 한편으로는 세계의 참된 본질을 논했습니다. 이런 면모는 비슷한 시절 공자와 노자 등 제자백가가 등장한 춘추시대의 중국에서도 발견됩니다. 그런데 강력한 제왕이 천하를 통일하자 신기하게도 이상을 설파하는 시대가 막을 내립니다. 정치적으로 안정되자 더이상 새로운 플라톤이, 새로운 공자가 등장하지 않게 된 것입니다. 중국에서는 진나라가 분열된 시대의 종지부를 찍었고, 서양에서는 알렉산드로스 제국, 이어서 강력한 로마제국이 등장했습니다.

마담쿠: 동서양 역사 이야기가 함께 나오니 흥미롭네요. 강력한 제국이 등장하니 철학이 변모했다? 어떻게 변모했을까요?

코디정: 서양철학에 국한해서 말해 보지요. 이때 서양철학의 주류가 스토아 학파였습니다. 그들은 소크라테스, 플라톤 등의 앞선 철학자들의 전통을 따르면서도 이전 철학자들과는 상이한 전통을 내세웠어요. '사회적인 관심'을 강하게 피력하기보다는 '개인적인 인생'에 철학적인 관심을 뒀습니다. 그들은 우주 만물과 삼라만상의 이치, 그리고 이상적인 국가에 대해 논쟁을 이어가기보다는 '어떻게 살아갈 것이냐'의 문제를 더 중요하게 여겼던 것 같아요. 그러면 다시 오늘날의 시대로 돌아오겠습니다. 21세기는 알렉산드로스 시절과 로마 시대처럼 정치적으로 매우 안정되어 있습니다. 20세기를 풍미했던 사상과 잔혹의 시대는 저물었습니다. 여전히 국지적인 분쟁과 대립이 있기는 하지만,

정치적으로 안정되어 있고 민주주의 체제는 안전합니다. 물론 경제적이든 환경적이든 사회적인 문제는 여전히 우리의 관심사로 남아 있겠지요. 하지만 이 시대의 인류는 어떻게 살아갈 것인지에 대한 문제를 사회적인 관심사보다 더 우선적으로 놓는다는 점에서 고대 스토아 학파의 시절과 비슷하다는 생각이 들었어요. 그런 생각까지 이르자 그 시절 스승들이 어떤 의견을 냈는지 궁금해졌고, 또 그분들의 조언과 가르침이 이 시대를 살아가는 우리들에게 큰 힘이 될 수도 있지 않을까라는 기대감도 생겼어요. 그래서 스토아 철학의 번역을 기획하게 됐습니다.

마담쿠: 독자를 위해 제가 두 가지 질문을 드려볼게요. 첫 번째, 그렇다면 스토아 학파는 이 세계를 이러쿵저러쿵 설명하는 철학자들 특

유의 논설은 하지 않는 건가요?

코디정: 부족하지만 제가 공부한 수준으로만 답하겠습니다. 스토아 학파 철학자들에게는 어떤 합의점이 있는 것 같아요. 자연의 섭리와 인간의 섭리는 기본적으로 다르지 않다는 것이며, 그런 섭리는 신이 창조한 세계의 법칙이라는 합의입니다. 사실 이런 합의는 스토아 학파 이전의 그리스 철학과 잘 연결되는 생각이며, 또한 이후 기독교 세계관과도 조화를 이루는 생각입니다. 그런 점에서 서양 정신세계사에서 고대와 중세를 이어주는 다리 역할을 하는 셈이지요.

마담쿠: 언뜻 듣기로는 동양적인 사상처럼 들리기도 하는데요? 하기야 동양이든 서양이든 같은 인류이니까 공통될 수밖에 없겠다는 생각도 듭니다. 그런데 두 번째 질

문, 어째서 에픽테토스인가요? 스토아 철학자에는 로마 시대의 황제도 있고 재상도 있을 텐데요.

코디정: 낮은 곳에서 시작하고 싶었습니다. 같은 메시지를 담은 책이라도, 성공한 사람의 성공담을 담은 책으로 기획될 수도 있지만, 비참한 역경을 딛고 살아낸 사람의 이야기를 담은 책으로 기획될 수도 있잖아요? 그런 기획 의도로 노예 출신이자 불구의 몸으로 인생을 살아간 에픽테토스 할아버지를 선택하게 됐습니다(웃음).

마담쿠: 그런데 이 책의 원제인 '엥케이리디온'은 고대 그리스어로 '소책자' 또는 '핸드북'이라는 뜻입니다. 막상 읽어 보면 '명상 에세이' 같은 느낌이에요. 혹은 로마 시대의 자기계발서? 저자가 말씀하시는 대로 살아가면 정신적으

로 행복해질 것 같은 기분이 들어요. 과연 이 책의 가르침대로 살 수 있을지는 의문입니다만…. 그래서 우리가 이 책의 21세기 버전 제목으로 〈내 맘대로 되지 않는 세상에서 살아남고 싶을 때〉라는 에세이 식 표현을 덧붙였습니다. 인생에 목표를 설정하고, 그 목표를 달성하기 위해 우리는 온갖 애를 씁니다만, 그게 잘 안된단 말이지요. 내 마음대로 되지 않는 게 우리네 인생 같아요. 그런데 저는 이 책의 첫 번째 문장, "세상에는 자신이 통제할 수 있는 일과 통제할 수 없는 일이 있습니다."에서 마치 감전되는 것 같은 기분이 들었어요. '아, 내가 통제할 수 없는 일에 대해 집착하고 있는 게 아닌가'라는 생각이 떠오르는 거예요. 나의 평온은 거기에서부터 흔들렸구나 하면서요.

코디정: (웃음) 그러게요. 저는 이 책이 아주 훌륭한 자기계발서라고 생각해요. 로마 철학자에게 배우는 삶의 지혜입니다. 그것도 최전성기 로마제국에서 살았던 분의 잠언이에요.

마담쿠: 번역가이신 신혜연 선생이 우리말로 정말 멋지게 번역해 주셨습니다. 늘 최고의 번역을 해내시는 문장가라고 생각해요. 끝으로 신혜연 번역가에게 감사의 마음을 전하고 싶어요. 항상 최고였어요. 이 책을 읽는 이 시대 독자에게 축복입니다.

코디정: 네. 좋은 번역을 내놓기 위해서 독서도 많이 하시고 연구도 많이 하시는 분이에요. 출판사 편집자 입장에서는 아주 든든해요. 부디 이 책이 많이 읽혀서 이 시대를 살아가는 독자들에게 로마

시대의 평정심이 전파되기를 희망합니다. 그 희망이 '신혜연 번역' 덕분이었다고 사람들이 평가해 준다면 그 번역을 편집한 편집자로서도 명예로운 일이 될 거예요. 감사합니다.

독서가를 위해

정성껏 만든 책

그라시재라 서남 전라도 서사시	조정 | 2022-06-15 | 244쪽 | 16,500원 2022년 한국 문학계에 충격을 몰고온 그 시집. 제22회 노작문학상 수상!
여성의 종속	존 스튜어트 밀 | 2022-05-15 | 정미화 옮김 | 281쪽 | 15,000원 이제 와 돌이켜 보면, 여성들이 어떻게 여기까지 올 수 있었는지.
철학단편선 생각하는 사람을 빛나게 도와주는 할아버지들	키르케고르, 임마누엘 칸트, 파르메니데스 | 2022-04-15 서미나 옮김 | 158쪽 | 10,000원 생각을 풍성하게 만들어 주는 지혜의 책.
바다의 발견	김영춘 | 2022-02-15 | 268쪽 | 15,000원 아, 대한민국은 해양국가였지. 잊고 있던 당연한 사실을 일깨우는 죽비 같은 책
공리주의	존 스튜어트 밀 | 2021-01-12 | 정미화 옮김 | 212쪽 | 12,000원 인문 고전 번역의 새로운 모범을 찾는다면, 그리고 지적인 자극이 필요하다면.
아오지까지	조경일 | 2021-12-15 | 204쪽 | 13,000원 소설보다 더 소설 같고 영화보다 더 영화 같은 체험담. 세 번 탈북한 소년의 나라는?

제목	정보 / 소개
웃음	앙리 베르그송 | 2021-11-15 | 신혜연 옮김 | 260쪽 | 12,000원
	재능 과다의 철학자가 펼쳐 내는, 아, 이 깊고 풍요로운 웃음의 세계란.
수상록	정세균 | 2021-04-15 | 310쪽 | 15,000원
	올바름에 관한 탁월한 에세이. 한국 정치에 이런 깊이와 따뜻함이 있었다니.
고통에 대하여	김영춘 | 2020-12-22 | 372쪽 | 18,000원
	너무 재미있고 감동적이라 첫 장을 펼치면 끝까지 읽게 되는 숨가쁜 책.
휴머니타리안 솔페리노의 회상	앙리 뒤낭 | 2020-11-05 | 편집부 옮김 | 272쪽 | 15,000원
	인류사를 바꾼 기념비적인 책을 찾는다면.
굿머니	김효진 | 2020-11-02 | 260쪽 | 15,000원
	내가 기부하는 돈이 이렇게 흘러가는구나. 이렇게 따뜻하고 인간적인 돈이라니.
스물여섯 캐나다 영주	그레이스 리 | 2020-09-25 | 176쪽 | 12,000원
	인생의 플랜 B는 언제나 우리 곁에 있다. 그 사실을 알아가는 젊은 에세이

제목	정보 / 소개
무너져 내리다	스콧 피츠제럴드 | 2020-05-25 | 김보영 옮김 | 332쪽 | 15,000 원
	이런 신비한 책은 본 적이 없다. 그래서 사람들이 피츠제럴드, 피츠제럴드 하는구나.
소나티네	나쓰메 소세키 | 2019-04-30 | 김석희 옮김 | 304쪽 | 15,000 원
	이것이 나쓰메 소세키. 일본문학의 정수를 체험하고 싶은 독자에게는 선물 같은 책.
최면술사	마크 트웨인 | 2019-03-25 | 신혜연 옮김 | 216쪽 | 13,000 원
	읽는 내내 키득거리게 만드는 유쾌한 책. 지루할 틈이 없다.
굿윌 도덕형이상학의 기초	임마누엘 칸트 | 2018-09-04 | 정미현 외 2인 | 236쪽 | 13,000원
	도덕철학사에서 가장 중요한 한 권의 책. 독서를 통해 직접 칸트를 이해하고 싶다면.
WHY	버지니아 울프 | 2018-09-04 | 정미현 옮김 | 184쪽 | 12,000원
	버지니아 울프를 제대로 알고 싶다면, 그녀가 던지는 '왜'라는 질문에 먼저 입문하기를.